Chiara Codato Fabio Casati Rita Cangiano

Ambarabà 2

Corso di lingua italiana per la scuola primaria

quaderno di lavoro modulo 3

Alma Edizioni
Firenze

Direzione editoriale: **Ciro Massimo Naddeo**
Coordinamento editoriale e redazione: **Sabrina Galasso**
Progetto grafico, impaginazione e copertina: **Sergio Segoloni** e **Manuela Conti**
Illustrazioni: **Daniela Mattei** e **Clara Grassi**

Coordinamento didattico: **Jolanda Caon**
Consulenza scientifica: **Graziella Pozzo** e **Rita Gelmi**
Coordinamento della sperimentazione: **Giselle Dondi** e **Anna Enrici**

Si ringraziano tutti i bambini coinvolti nella sperimentazione per il senso di responsabilità e la gioia con cui hanno partecipato al lavoro di revisione dell'opera e per il grande incoraggiamento fornito agli autori.

Si ringraziano gli sperimentatori Daniela Avancini, Cristina Baldi, Renata Benedetti, Anita Cava, Ivana Cavalet, Lorella Cum, Giselle Dondi, Anna Enrici, Simona Galeotti, Carmen Larentis, Gianluigi Leocane, Luigina Maccani, Pamela Marcaccio, Emanuela Martini, Alexia Modestino, Katia Oberosler, Alessia Pedrini, Giovanna Plancher, Antonella Scialpi e Giuliana Visintin per l'attento e prezioso contributo prestato.

Nota
Tutti gli autori hanno partecipato alla progettazione di ogni singola parte del libro. Fabio Casati ha curato in modo particolare il libro dell'alunno, Chiara Codato il quaderno di lavoro e Rita Cangiano la guida per l'insegnante.

Ambarabà è un progetto realizzato da **Alma Edizioni** in collaborazione con l'**Istituto Pedagogico Tedesco di Bolzano**.

Printed in Italy

ISBN 978-88-6182-069-2

© **2007 Alma Edizioni**

Alma Edizioni
Viale dei Cadorna, 44
50129 Firenze
tel +39 055476644
fax +39 055473531
alma@almaedizioni.it
www.almaedizioni.it

L'Editore è a disposizione degli aventi diritto
per eventuali mancanze o inesattezze.
I diritti di traduzione, di memorizzazione elettronica,
di riproduzione e di adattamento totale o parziale,
con qualsiasi mezzo (compresi i microfilm e le copie fotostatiche),
sono riservati per tutti i paesi.

Tanti auguri

Leggi e colora i giocattoli di Luca. 1

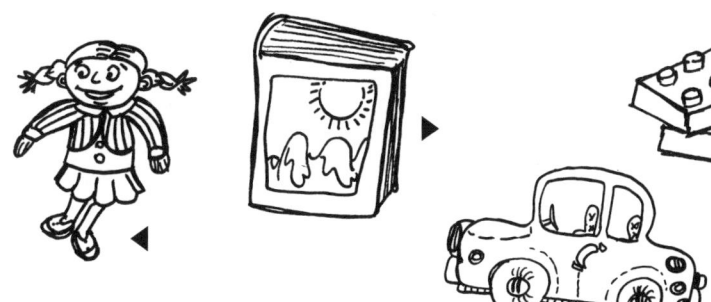

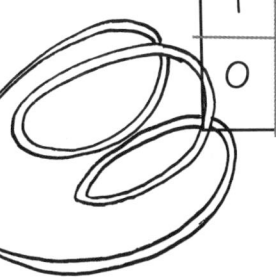

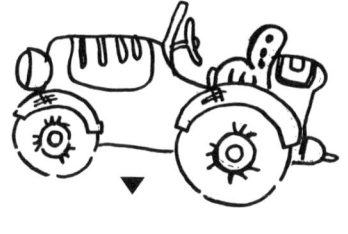

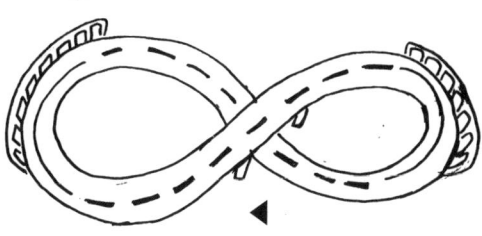

A	L	O	B	M	A	B	R	C
Q	U	A	I	A	N	T	O	O
I	T	R	C	C	E	G	B	R
O	R	A	I	C	L	I	O	D
R	A	C	C	H	E	T	T	A
S	T	A	L	I	B	R	O	A
E	T	R	E	N	I	N	O	L
T	O	T	T	I	O	G	E	L
T	R	E	T	N	L	U	C	A
O	E	A	A	A	T	S	I	P

Scrivi le lettere che restano e leggi la frase nascosta. 2

_ _ _ _ _ _ _ _ _ _ _ _ _ , _ _ _ _ !

Tanti auguri   tre   3

3 Collega con una freccia.

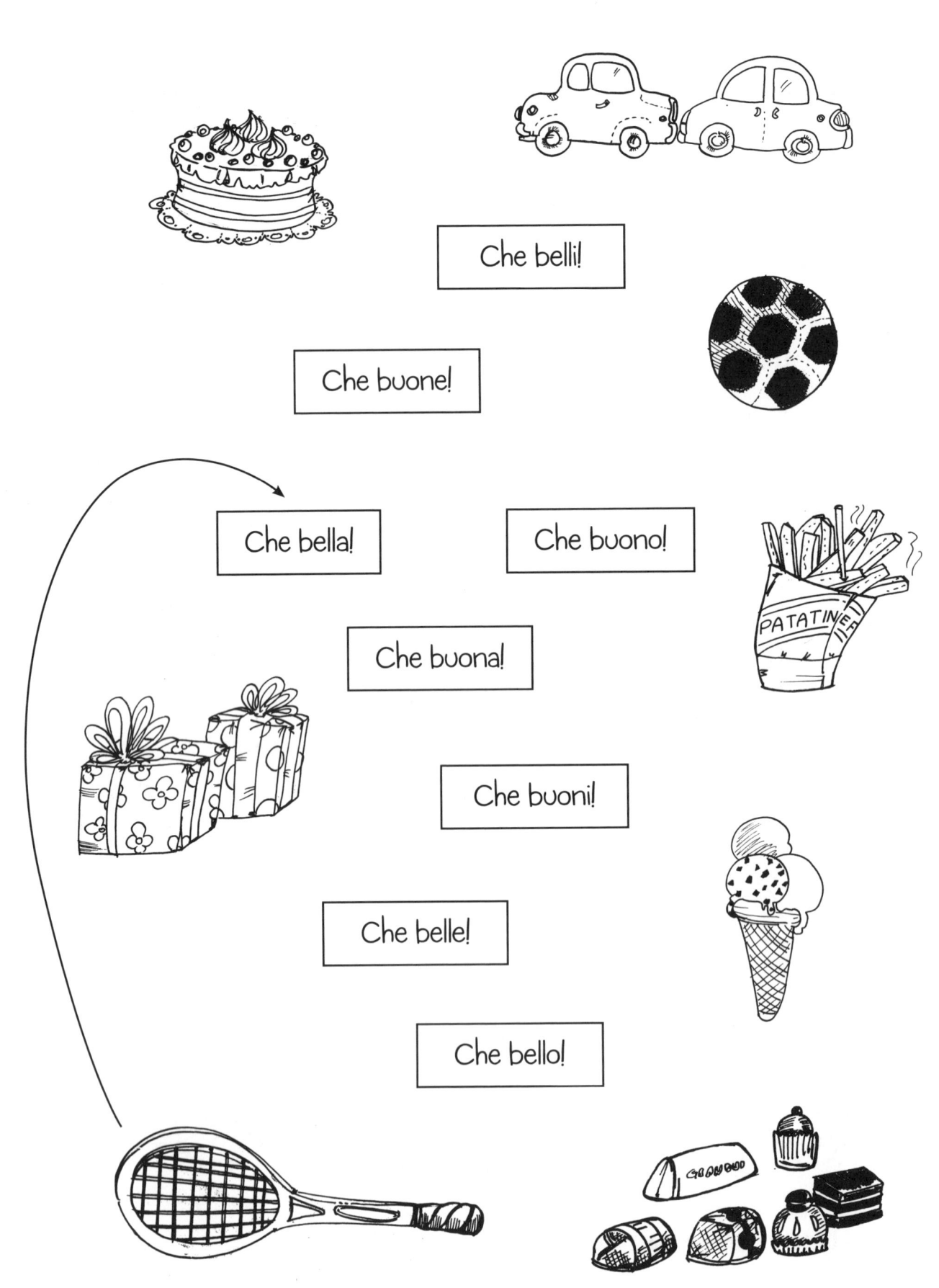

- Che belli!
- Che buone!
- Che bella!
- Che buono!
- Che buona!
- Che buoni!
- Che belle!
- Che bello!

Scrivi le frasi. 4

Che buono questo gelato!

Che buona _____

Che bello _____

Che belle _____

Che belli _____

Che buone _____

Che buoni _____

Che bella _____

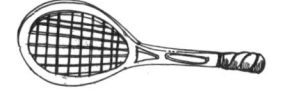

Tanti auguri — *cinque* 5

Unità 1 uno

5 Leggi e scrivi il nome del bambino.

Mi piace tanto giocare a tennis. — LISA

Mi piace tanto leggere. — SARA

Mi piace tanto giocare a calcio. — DAVIDE

Mi piace tanto scrivere. — FRANCO

Ecco _____ questo libro è per te!

Ecco, _____ questa penna è per te!

Ecco, _____ questa palla è per te!

Ecco, _____ questa racchetta è per te!

Completa le frasi. Poi scrivi nel disegno il nome dei bambini.

Anna regala a Luca _____una_____ palla colorat_a_.

David regala a Laura _____ orsetto giall___.

Mauro regala a Teo _____ macchinina ross___.

Dario regala a Gigi _____ bicicletta nuov___.

Matteo regala a Paolo _____ trenino lung___.

Sara regala a Elena _____ gonna cort___.

Paolo regala a Lisa _____ racchetta bianc___.

Mara regala a Rita _____ bambola allegr___.

Tanti auguri

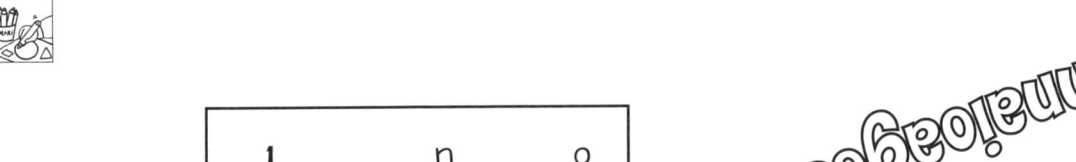

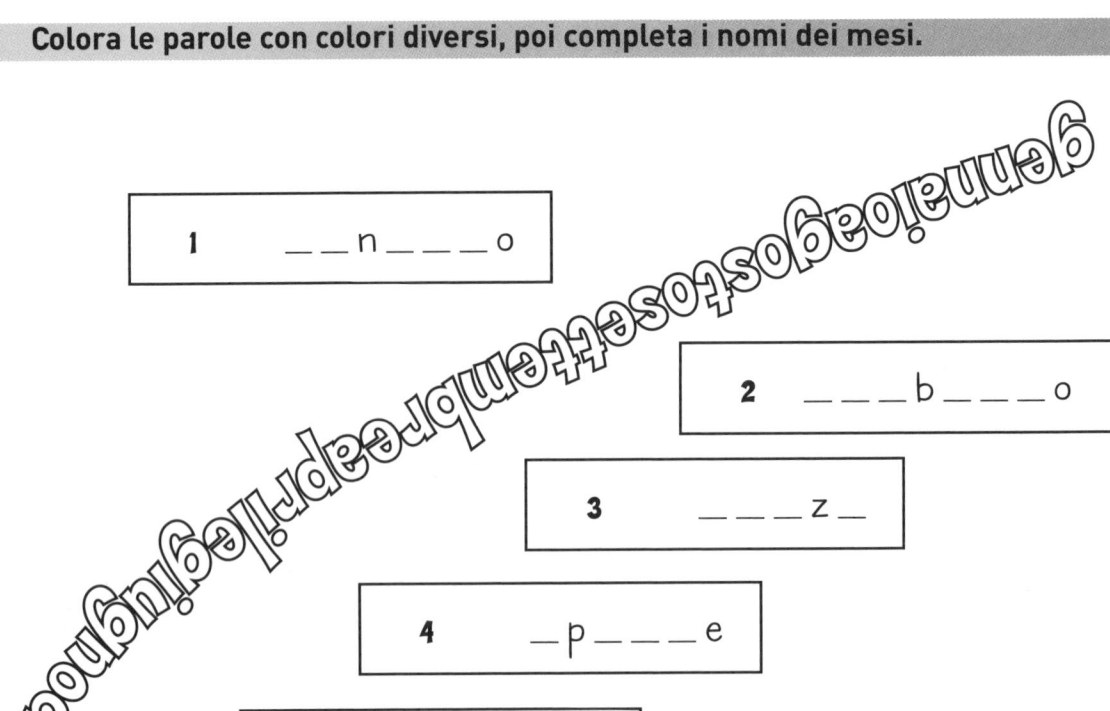

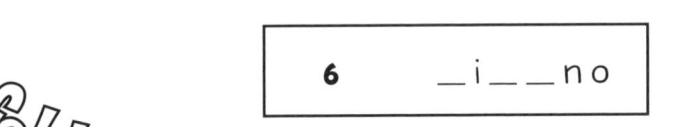

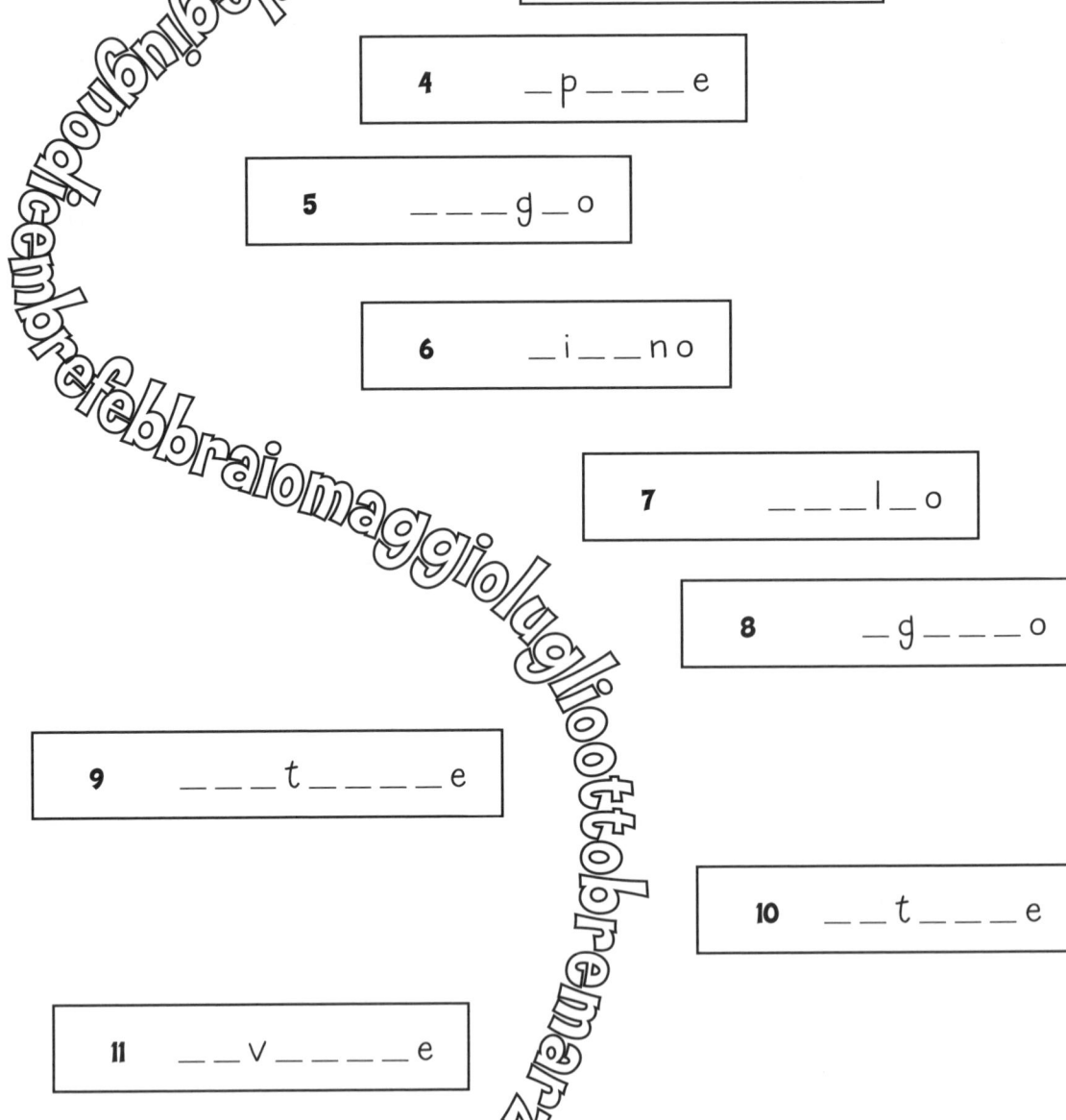

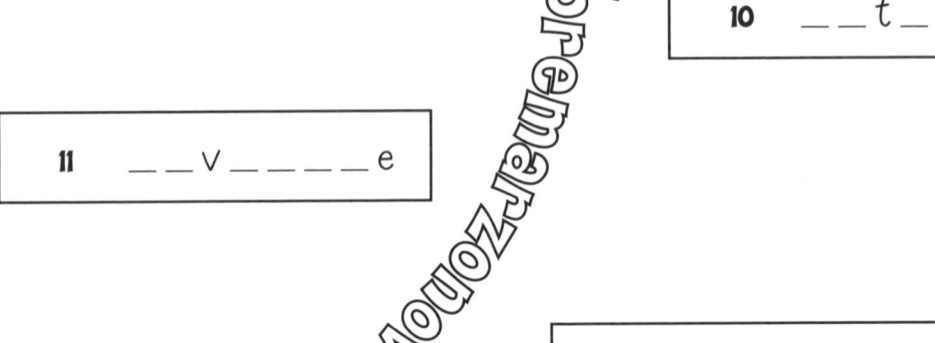

7 Colora le parole con colori diversi, poi completa i nomi dei mesi.

gennaio agosto settembre aprile giugno dicembre febbraio maggio luglio ottobre marzo novembre

1. _ _ n _ _ _ o
2. _ _ _ b _ _ _ o
3. _ _ _ z _
4. _ p _ _ _ e
5. _ _ _ g _ o
6. _ i _ _ n o
7. _ _ _ l _ o
8. _ g _ _ _ o
9. _ _ _ t _ _ _ _ e
10. _ _ t _ _ _ e
11. _ _ v _ _ _ _ e
12. _ _ c _ _ _ _ e

Completa il cruciverba dei mesi. 8

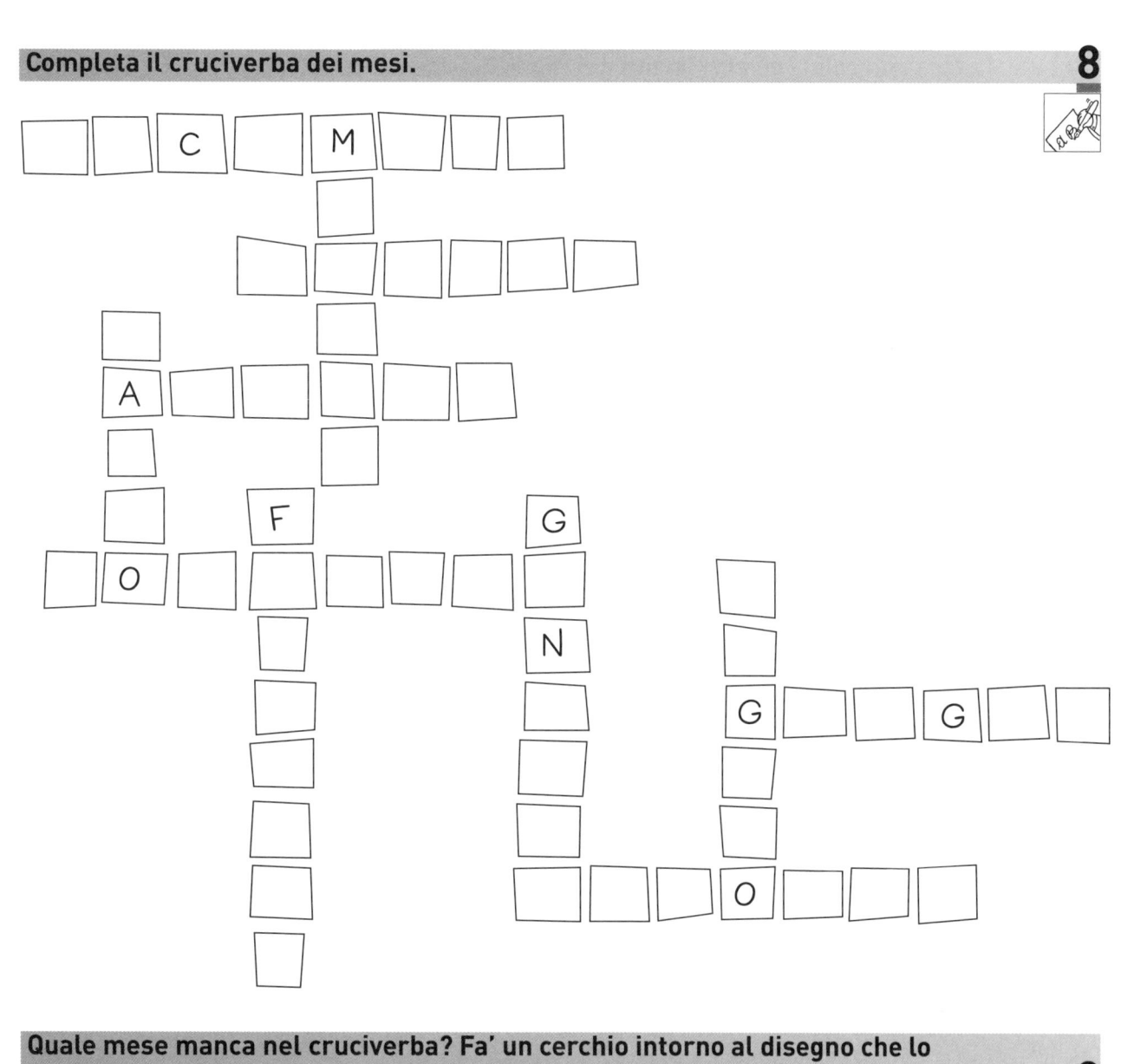

Quale mese manca nel cruciverba? Fa' un cerchio intorno al disegno che lo illustra. 9

Tanti auguri

10 Colora con colori diversi i nomi dei mesi, poi completa le frasi.

ottobre luglio febbraio dicembre gennaio

Tina

Fabio

Carlo

Lara

Marco

Marco è nato in luglio.

Lara è nata ___ _____ .

Carlo __ _____ ___ _____ .

Tina __ _____ ___ _____ .

Fabio __ _____ ___ _____ .

Guarda il disegno e completa le frasi.

Lara compie 4 anni.

Anna e Tino compiono 5 anni.

Rita _____

Sandro _____

Lisa e Marco _____

Elena e Sara _____

Tanti auguri

12 Guarda e abbina con i numeri.

1	Lea e Massimo		
2	Marco		legge il biglietto.
3	Luca		giocano con le bambole.
4	Matteo e Giorgio		soffia sulle candeline.
5	Filippo		canta "Tanti auguri".
6	Emma e Sofia	1	**portano un regalo a Luca.**
7	Sara e Lisa		mangiano la torta.
			bevono l'aranciata.

Modulo tre

12 dodici

Tanti auguri

Leggi la frase e colora la casella giusta. **13**

	sì	no
Anna mangia una fetta di torta.	■	
Marco bevono l'aranciata.		■
Lisa e Lia cantano "tanti auguri".		
Ivo e Sara balla.		
Elena leggono una poesia.		
Leo e Rudi mangiano le patatine.		
Fabio e Luca beve il tè.		
Lara canta una canzone.		
Maria ballano.		
Sonia legge un libro.		

Correggi le frasi che sono nella colonna no. **14**

_____

_____

_____

_____

Tanti auguri

15 Abbina la domanda alla risposta con i numeri.

- Ti piace la torta di mele? **1**
- Quando sei nato?
- Qual è il tuo colore preferito?
- Come ti chiami?
- Quanti anni hai?
- Hai un animale?
- Come si chiama?
- Hai fratelli?
- Ti piacciono le patatine?

- Mi chiamo Marco.
- Si chiama Dirk.
- Ho dieci anni.
- Il blu.
- Sì, ho un cane.
- Ho un fratello e una sorella.
- Sì, mi piacciono tantissimo.
- No, mi piace la torta di carote. **1**
- In gennaio.

Guarda il viso e colora la frase giusta.

16

- Sono felice.
- Sono contenta.
- Sono arrabbiato.

- Sono stanco.
- Sono allegra.
- Sono arrabbiata.

- Sono triste.
- Sono stanco.
- Sono contenta.

- Sono arrabbiata.
- Sono contento.
- Sono triste.

1 *uno*

Unità

Tanti auguri   *quindici*   15

17 Leggi la storia.

Luca organizza una festa e invita i suoi ▢

Marco, Manuel e Paolo arrivano in ▢

Marco apre lo ▢ e dà a Luca un ▢

Nel ▢ c'è il ▢ .

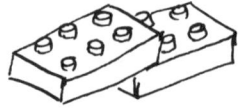

Anche Manuel dà a Luca un ▢ .

Nel ▢ ci sono due ▢

Paolo mette la mano in tasca e prende un piccolo ▢

Nel ▢ ci sono le ▢

Con il ▢ i bambini fanno un ▢

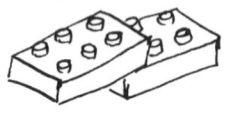

poi giocano con le  ▢ sulla ▢ .

Alla fine Luca prende le ▢ per giocare a quartetto.

Paolo guarda Luca e dice: "Oggi è il tuo compleanno, vero?"

Luca capisce, ride e dice: "Sì, adesso mangiamo la ▢

e beviamo l' ▢ ".

A cosa giochiamo?

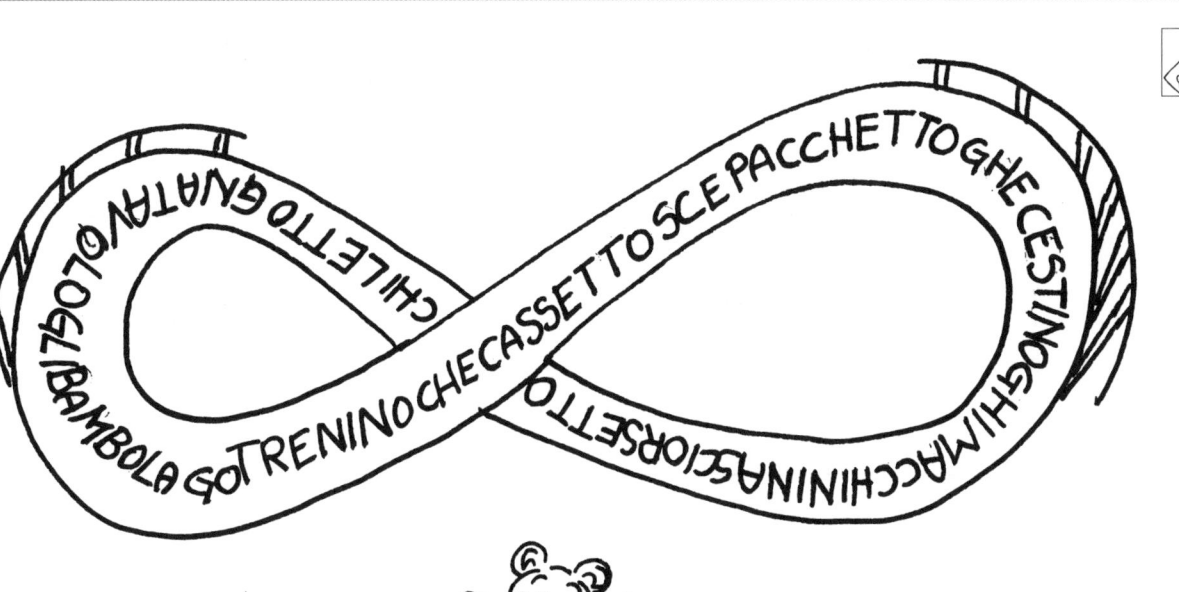

Trova le parole sulla pista, fa' attenzione! Poi scrivi le parole sotto il disegno.

2 *due* Unità

2 Componi le parole.

vo – ta – lo	no – sti – ce
tavolo	

mi – no – do	no – tre – ni

bam – la – bo	tom – la – bo

sta – pi	dio – ma – ar

no – di – va	set – to – or

ma – da	set – to – cas

por – ta	to – let

Collega con una freccia e rispondi.

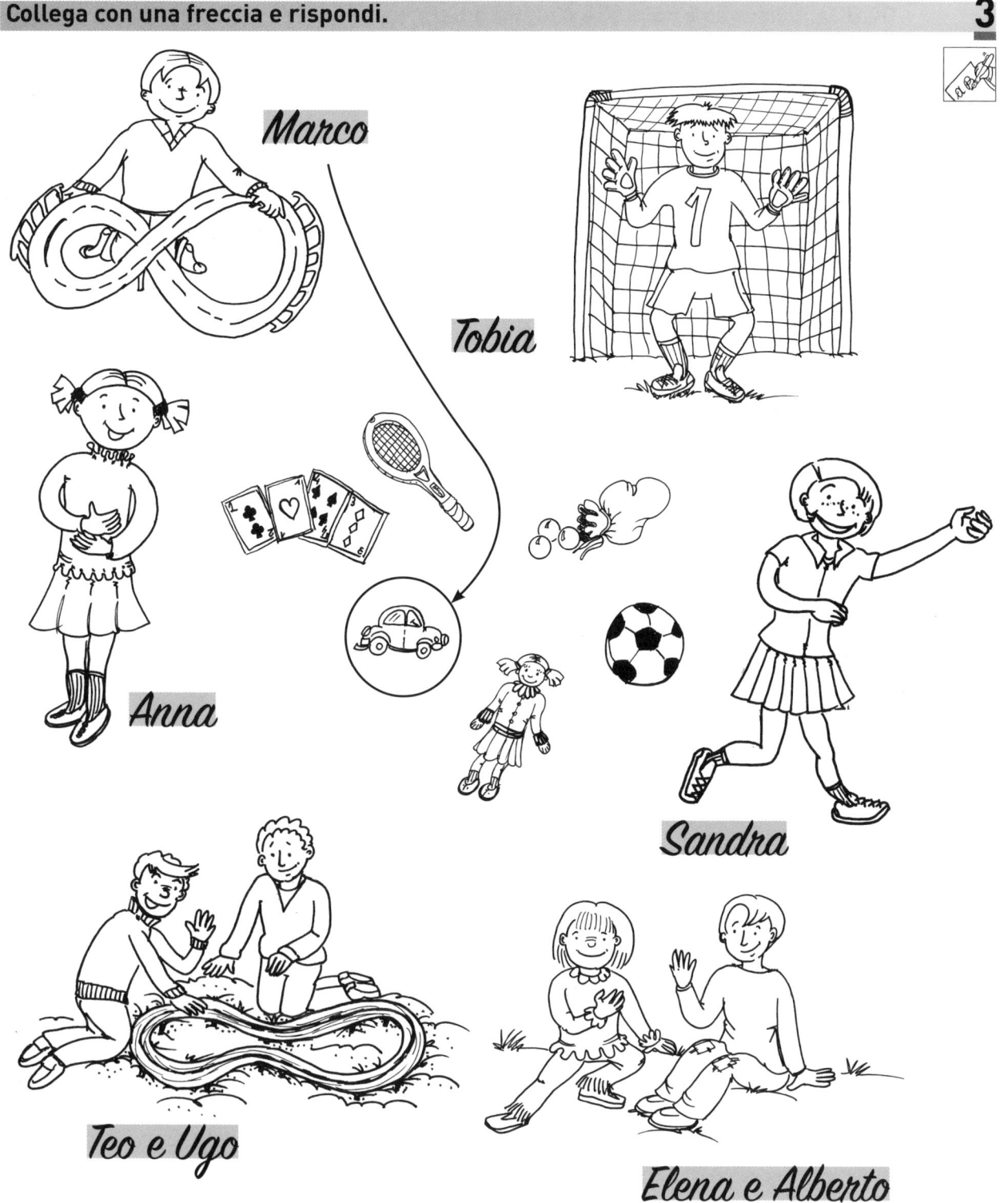

1. Di chi sono le macchinine? Sono di Marco.
2. Di chi è la racchetta da tennis? È di _____
3. Di chi è il pallone? _____
4. Di chi sono le carte? _____
5. Di chi è la bambola? _____
6. Di chi sono le biglie? _____

A cosa giochiamo?

4 Guarda il disegno e colora la casella giusta. Poi leggi le lettere colorate.

| | Dov'è il libro? | nel cestino | **E** |
| | | nella scatola | E |

| | Dov'è la penna? | nella cartella | R |
| | | nel cassetto | S |

| | Dov'è la racchetta da tennis? | nella scatola | A |
| | | nel cassetto | R |

| | Dov'è il gatto? | sulla finestra | A |
| | | sul tappeto | T |

| | Dov'è la macchinina? | sul tavolo | R |
| | | sulla pista | T |

| | Dov'è l'orsetto? | sulla sedia | O |
| | | sul letto | E |

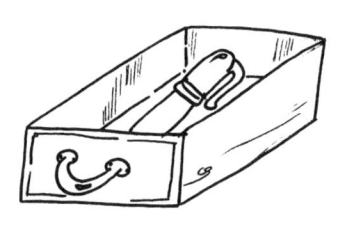

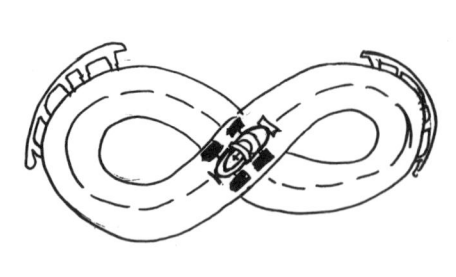

Scrivi il nome e poi la prima lettera degli oggetti che si trovano sopra.

	disegno	parola	lettera iniziale
1		gatto	g
2			
3			
4			
5			
6			
7			

A cosa giochiamo?

6 Guarda il disegno per 30 secondi, poi copri il disegno con un foglio e segna la risposta giusta.

	si	no
1 C'è il gatto davanti alla porta?		
2 C'è il trenino sotto il tavolo?		
3 Ci sono due vagoni sulla sedia?		
4 C'è un orsetto sul divano?		
5 Ci sono le carte dietro la scatola?		
6 C'è la bambola sul tappeto?		
7 Ci sono due libri dietro il divano?		

22 ventidue

A cosa giochiamo?

Leggi le frasi e poi scrivi per quale disegno vanno bene: A o B? **7**

A	Sotto la sedia ci sono due macchinine.
	Dietro il divano c'è la pista.
	Davanti all'armadio c'è la scatola.
	Nella scatola ci sono le scarpe da ginnastica.
	Fuori ci sono due bambini.
	Nel cassetto c'è il quaderno.
	Sul tappeto c'è una biglia.

A cosa giochiamo?

8 Leggi e disegna.

Disegna il gatto dietro l'armadio.
Disegna il trenino sotto il letto.
Disegna un vaso sulla finestra.
Disegna tre fiori nel vaso.
Disegna una bambola sotto la sedia.
Disegna le carte sulla sedia.
Disegna la scatola del domino sul letto.
Disegna un tappeto davanti alla porta.
Disegna una pista su un tappeto.

Cerca questi oggetti e scrivi dove sono.

la palla

la macchinina

la bambola

l' orsetto *il trenino* *il robot*

la carta da gioco

La palla è sotto il letto.

A cosa giochiamo?

10 Scrivi dov'è la palla, poi leggi le frasi.

Sopra _____ _____ _____

Sì, esatto, fa' un passo avanti!

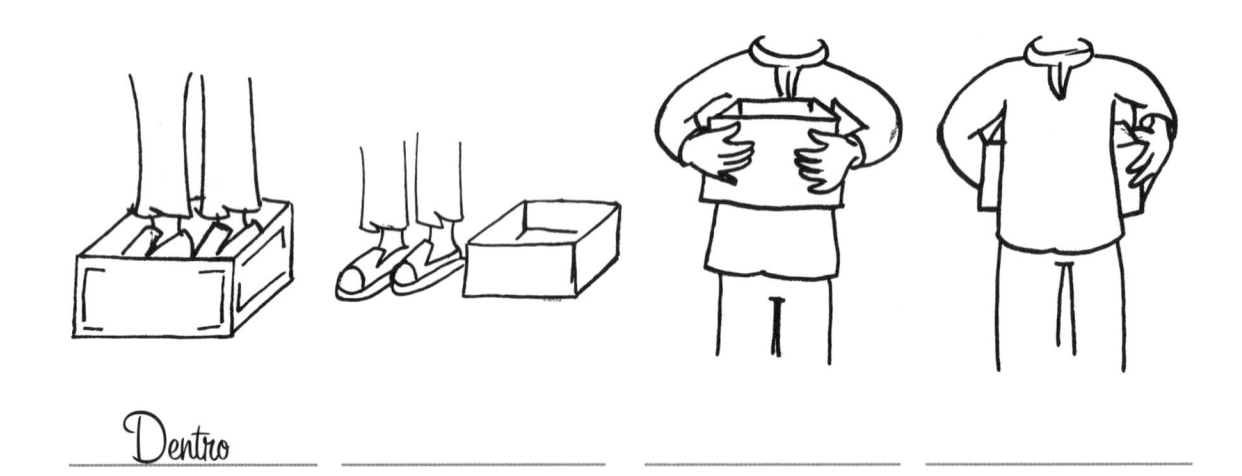

Dentro _____ _____ _____

Sì, esatto, fa' un passo indietro!

Scrivi la frase, osserva il disegno e segna la casella giusta. 11

	sì	no
armadio Davanti c'è all' corda. la *Davanti all'armadio c'è la corda.*		×
il ci sono letto due Sotto macchinine.		
ci sono sedia le Sulla carte.		
elefante. Nel c'è un cestino		
Sul ci sono tavolo racchette. due		
letto Sul c'è orsetto. un		

A cosa giochiamo?

12 Osserva, leggi e scrivi i numeri nei cerchietti.

1 Noi parliamo.	5 Noi cantiamo.
2 Noi giochiamo.	6 Noi saltiamo.
3 Noi beviamo.	7 Noi corriamo.
4 Noi mangiamo.	8 Noi nuotiamo.

A cosa giochiamo?

Scrivi le parole che mancano. 13

Io vado al corso di musica con Marco.
Noi cantiamo tante belle canzoni.

Io vado al corso di computer con Leo.
Noi _____
una lettera a un amico.

Io vado al lido con Enrico.
Noi _____
nella piscina grande.

Io vado in cortile con Alessandro e Lara.
Noi _____
a nascondino.

Io vado al corso di ballo con Emma.
Noi _____
il tango.

A cosa giochiamo?

14 Abbina la domanda alla risposta.

Facciamo merenda?

Beviamo un'aranciata?

Giochiamo a nascondino?

Giochiamo a carte?

Giochiamo a memory?

Giochiamo a tombola?

E allora cosa facciamo?

Non lo so.

Non mi piace giocare a memory.

Non ho la tombola.

Non ho fame.

Non so giocare a carte.

Non ho voglia.

Non ho sete.

15 Leggi e colora la casella che va bene per te.

	vero	falso
Io gioco volentieri in cucina.		
Io gioco volentieri nella mia camera.		
Io gioco volentieri in soggiorno.		
A me piace giocare a carte.		
A me piace giocare a memory.		
A me piace giocare a domino.		
A me piace fare il puzzle.		
A me piace leggere.		
A me piace giocare da solo.		
A me piace giocare con i miei amici/le mie amiche.		

Andiamo in cortile?

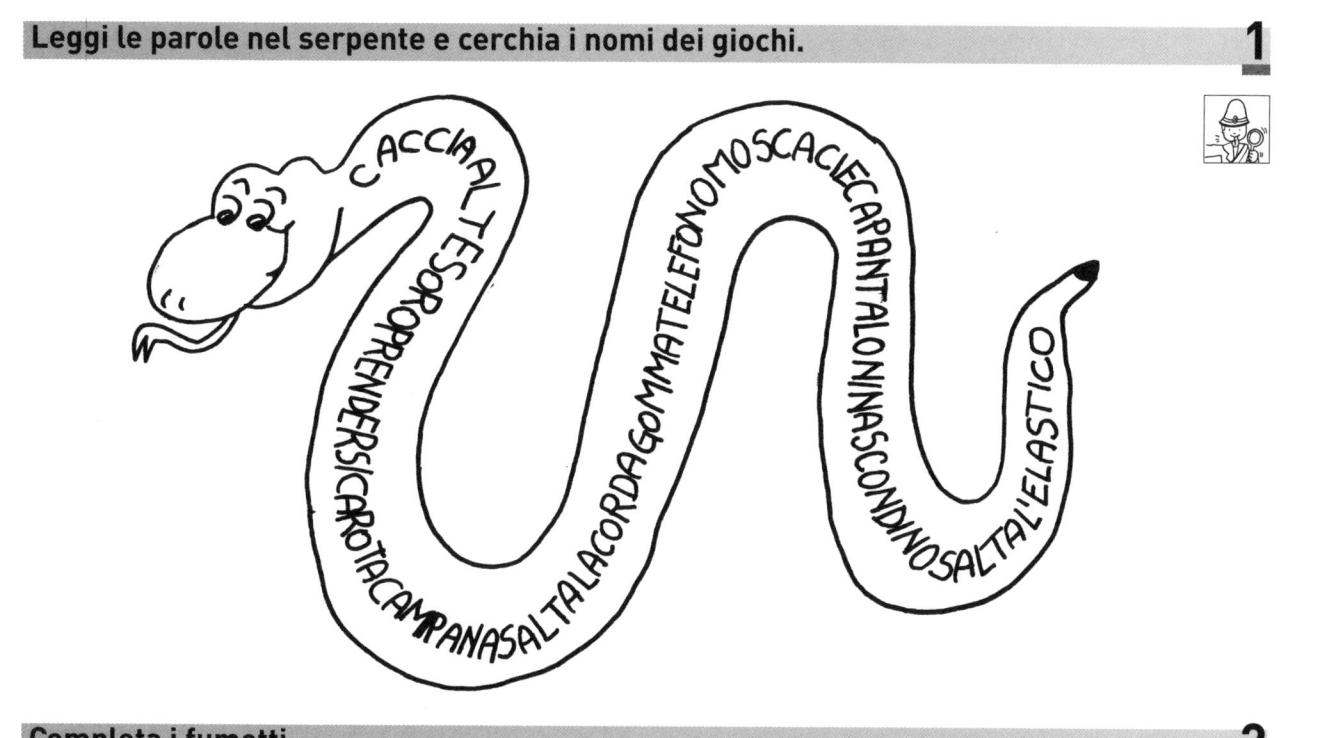

Leggi le parole nel serpente e cerchia i nomi dei giochi. 1

CACCIAALTESOROPRENDERSICAROTACAMPANASALTALACORDAGOMMATELEFONOMOSCACIECARPANTALONINASCONDINOSALTAL'ELASTICO

Completa i fumetti. 2

Giochiamo a campana.

A cosa giochiamo?

3 tre

Unità

Andiamo in cortile? trentuno 31

3 Scrivi i numeri per mettere in ordine il dialogo, poi disegna il gioco che manca.

| 1 | Giochiamo a carte? |

| Non ho la palla. Giochiamo a prendersi? |

| A prendersi? No, in due non è bello. Giochiamo a campana? |

| Allora... giochiamo con l'elastico. |

| A mosca cieca? In due non è bello. |

| A campana? Sul prato non si può. Ho un'idea, giochiamo a mosca cieca. |

| A nascondino? No, in due non è bello. Giochiamo a calcio? |

| Non hai l'elastico, in due non è bello... ciao, io vado a casa. |

| Con l'elastico? Io non ho l'elastico. |

| 2 | No, non mi piace giocare a carte. Giochiamo a nascondino? |

Scrivi la frase, poi osserva i disegni e scrivi il numero. 4

1. Pino e giocano Lino a nascondino.
   Pino e Lino giocano a nascondino.

2. giocano e Elena a campana. Lara
   _____

3. a calcio. Carlo suo il amico e giocano
   _____

4. la Laura fanno e Giacomo carriola.
   _____

5. fanno corsa una Alberto Silvia e i sacchi. con
   _____

6. corda. Lisa e Claudia la saltano
   _____

Andiamo in cortile? trentatré

5 Segui la pista e scrivi le frasi nel quaderno.

Stefano

Anna

Mirco e Davide

Sara e Leo

Paolo

Stefano gioca a calcio, non salta l'elastico.

Guarda e scrivi che cosa fanno i bambini.

gioca

giocano

corre

Andiamo in cortile?

7 Leggi e colora la casella giusta.

Il cane Lillo e il gatto Lulù cercano la pallina, ma non la trovano:

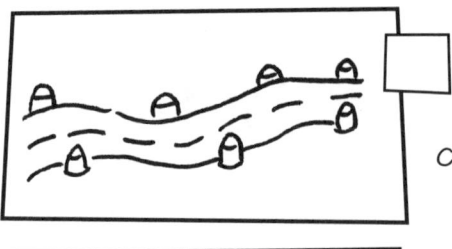

corrono sulla strada

passano sul ponte

si siedono sul sasso

nuotano nel laghetto

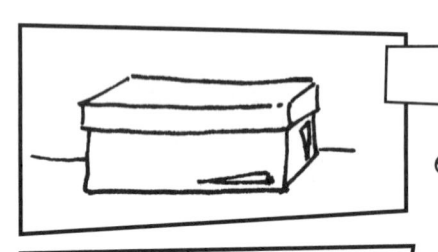

entrano nella casetta

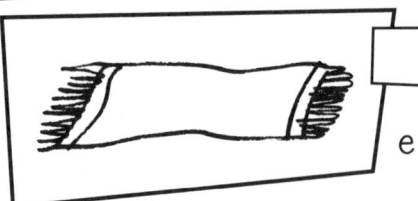

e dormono sul tappeto

Quando i due amici si svegliano, Lillo ha mal di testa.

C'è qualcosa sotto il tappeto, ma che cos'è?
È la pallina!

trentasei

Andiamo in cortile?

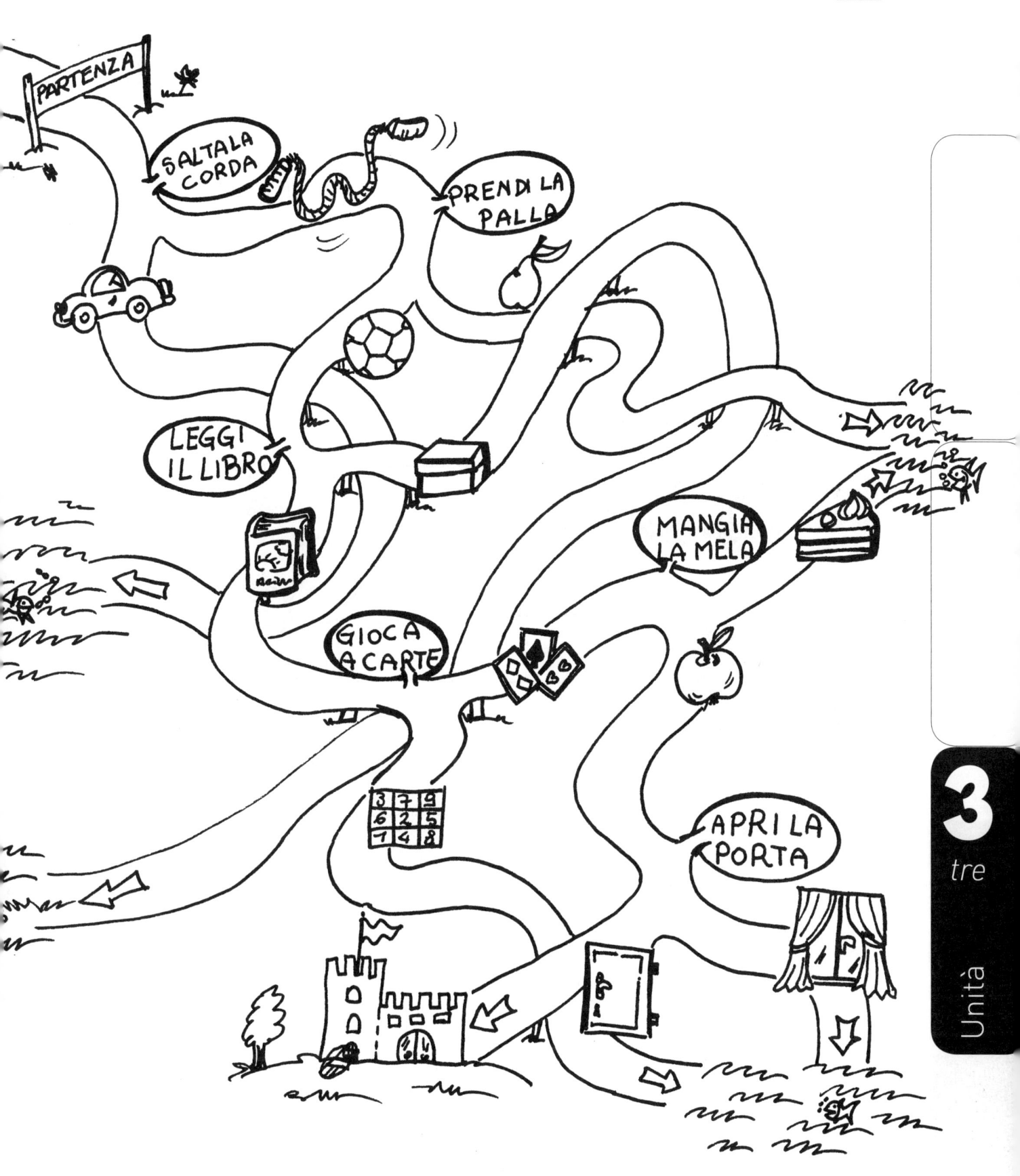

8 Leggi e colora la strada giusta per arrivare al castello.

- PARTENZA
- SALTA LA CORDA
- PRENDI LA PALLA
- LEGGI IL LIBRO
- GIOCA A CARTE
- MANGIA LA MELA
- APRI LA PORTA

Andiamo in cortile?

Unità **3** tre

trentasette 37

9 Guarda il disegno e scrivi i comandi della maestra al posto giusto.

Saltate la corda!

Saltate la corda!

Giocate a mosca cieca!

Fate la corsa con i sacchi!

Giocate a calcio!

Giocate a campana!

Fate la carriola!

Andiamo in cortile?

Guarda il disegno e completa le frasi.

10

C'è un uccellino __sul__ sasso.

Ci sono due gatti _____ alla porta della scuola.

C'è un biglietto _____ il sasso.

C'è un pacchetto _____ l'automobile.

Ci sono due topi _____ cestino.

Ci sono due bambini _____ l'albero.

C'è un cane _____ l'albero.

Andiamo in cortile?

11 Leggi e metti in ordine i disegni della storia con i numeri.

il cane Lillo e il gatto Lulù sono amici e giocano a nascondino.

1 Lulù guarda fuori dalla finestra e conta: "1,2,3,..." Intanto Lillo si nasconde.

2 Prima si nasconde dietro l'armadio ... no, lì non gli piace.

3 Allora Lillo si nasconde sotto il tavolo ... no, lì non gli piace.

4 Lillo guarda dietro la porta ... c'è una scatola! Lillo salta dentro la scatola e aspetta zitto zitto.

5 Lulù guarda di qua e guarda di là, ma non vede Lillo.

6 Lulù è un gatto molto furbo, pensa e ... subito gli viene un'idea.

7 Lulù si mette a piangere e grida: "Lillo, Lillo, aiuto!"

8 Lillo salta fuori dalla scatola e dice: "Ecco, sono qui!"

9 Lulù si mette a ridere e grida: " Un, due, tre per me ...e adesso tocca a te!" Lillo si arrabbia: "No, non vale, non gioco più con te!"

Leggi e completa le frasi, poi fa' il disegno. 12

Ciao, mi chiamo _____.
Ho _____ anni, sono nat____ il _____ _____
e frequento la _____ classe.
Io abito a _____.
Ho gli occhi _____ e i capelli _____.
Il mio colore preferito è _____ _____.
Mangio volentieri _____ _____ . Non mi piace _____
_____ e non mi piacciono _____ _____.
Io mi metto volentieri _____ _____ e _____
_____.
Mi piace giocare _____ _____, _____
_____ e _____ _____ . Io gioco
volentieri con _____ _____.
Il mio animale preferito è _____ _____.

Mi disegno

Andiamo in cortile?

P Guarda i disegni e scrivi le parole che ricordi.

___

Ricordi altre parole? Scrivile.

___

Scrivi le frasi che hai imparato. Poi confronta le tue frasi con quelle di un compagno.

___

a1

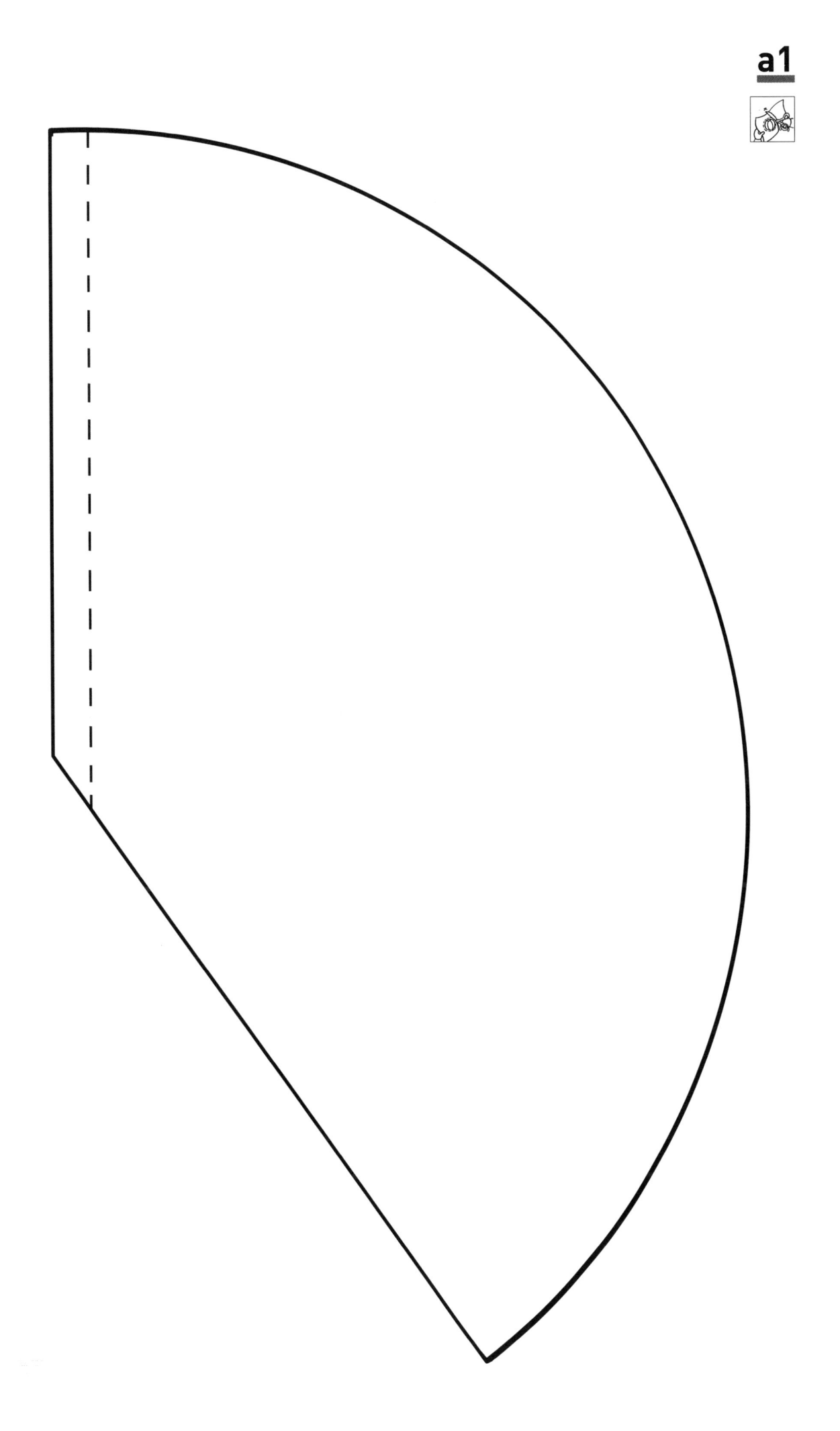

quarantatré 43

Ti aspetto!

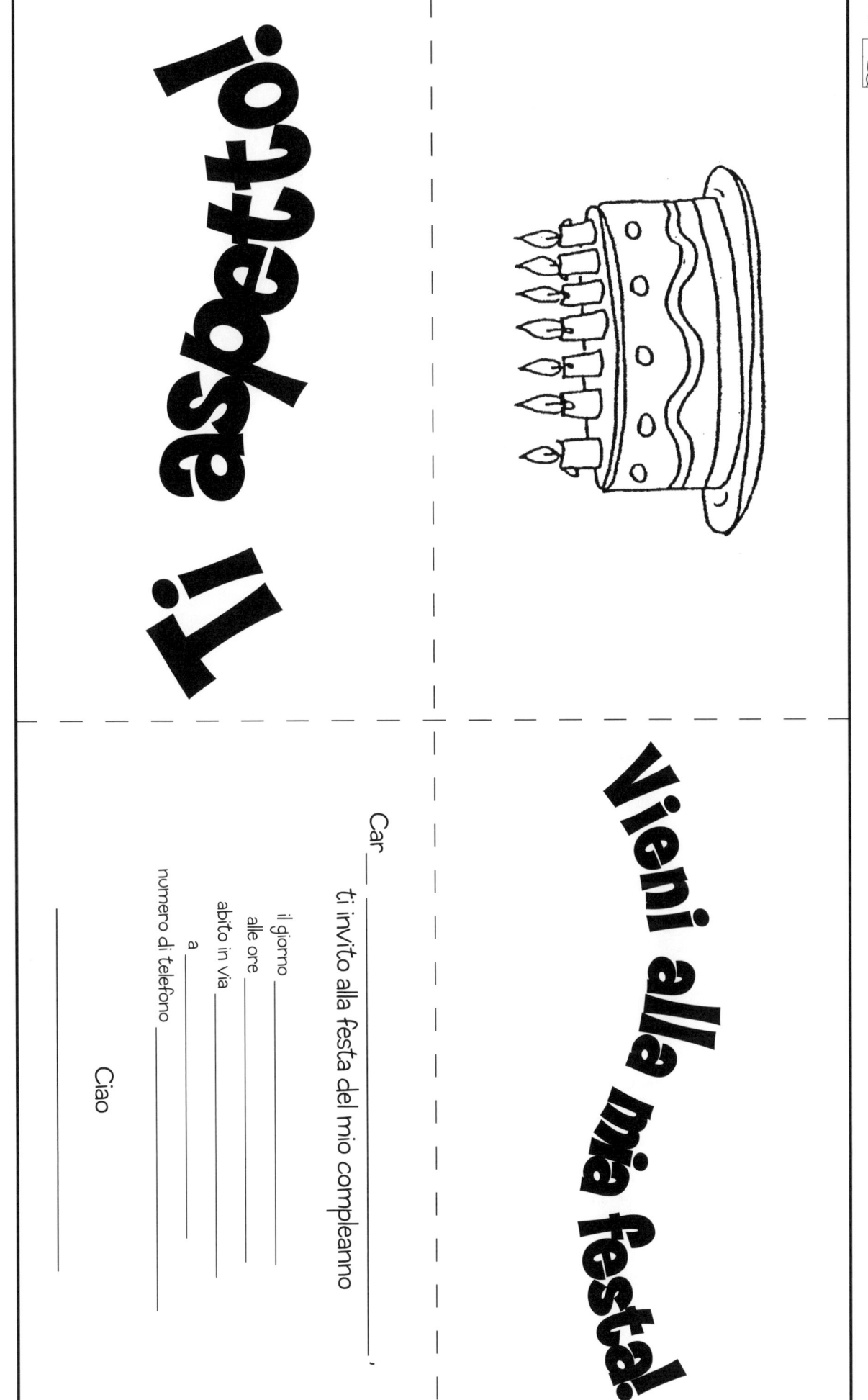

Vieni alla mia festa!

Car_____

ti invito alla festa del mio compleanno

il giorno _____
alle ore _____
abito in via _____
a _____
numero di telefono _____

Ciao

_____

quarantacinque

a3

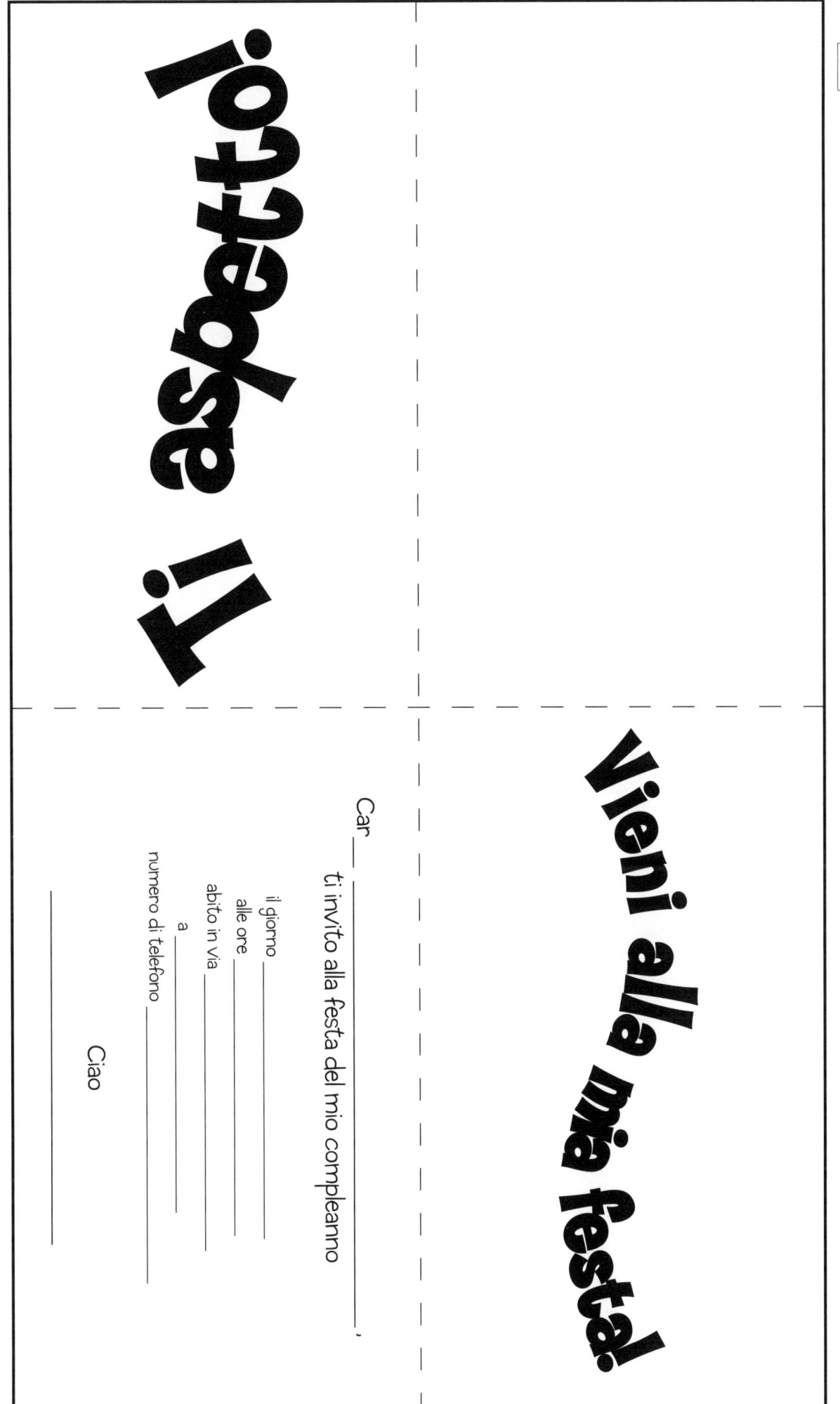

Ti aspetto!

Vieni alla mia festa!

Car_____

ti invito alla festa del mio compleanno

il giorno _____
alle ore _____
abito in via _____
a _____
numero di telefono _____

Ciao

_____

quarantasette 47